FIVE BAGATELLE

1
FANFARE

PAUL HARRIS

2
CAVATINA

Andantino (♩ = 84)

12
Ped.
rall.
a tempo
rall.
a tempo
17
rall.
rall.
22
Ped.

3
SLAPSTICK

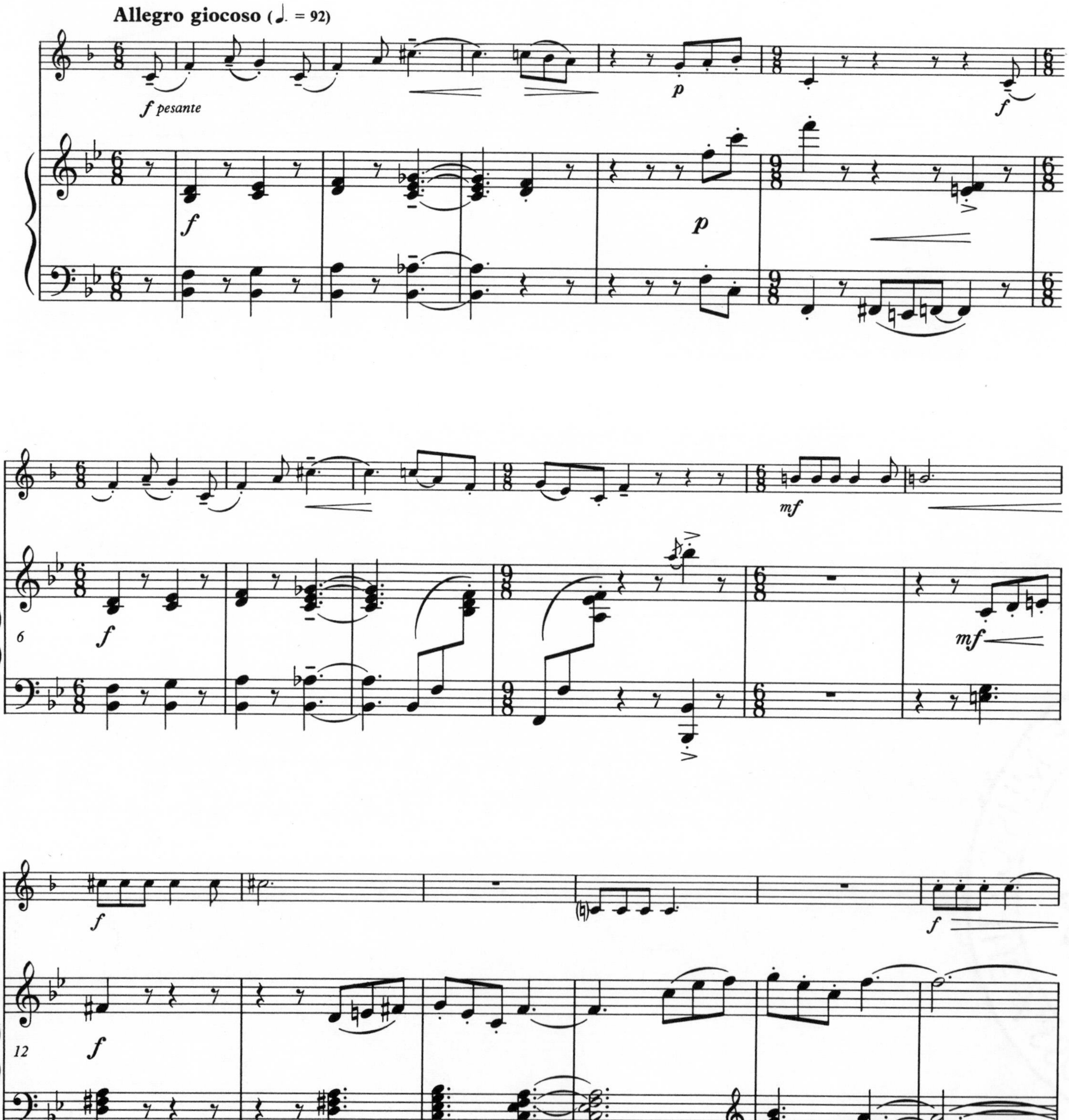
Allegro giocoso (♩. = 92)
f pesante
p
f
mf
6
12

*optional

4
MEDITATION

f
mp
mf
6
mf
p
mp
f
10
mf
Ped.
mf
poco rall.
a tempo
poco rall.
8va
a tempo
14
mp
p
mf
rall.
rall.
dim.
8va
20
dim.

5
TOCCATA

Allegro (♩ = 120)
mf leggiero
cresc.
f
mf
cresc.
f
6
simile
f
mp cresc.
f
11
mp cresc.
f

16
simile
mf
22
mf
cresc.
f cresc.
27
ff
sfz